Paradwys Pinc

a storïau eraill

Emma Thomson

Addasiad Eiry Miles

2018

Sut i wneud dymuniad gyda Siriol

DYMUNIAD

Mae'r llyfr hwn yn cynnwys dymuniad arbennig iawn i ti
a dy ffrind gorau.

Gyda'ch gilydd, daliwch y llyfr bob pen,
a chau eich llygaid.

Crychwch eich trwynau a meddwl am rif
sy'n llai na deg.

Agorwch eich llygaid, a sibrwd eich rhifau
i glustiau'ch gilydd.

Adiwch y ddau rif gyda'i gilydd. Dyma'ch

Rhif Hud

ti

dy
ffrind
gorau

Rhowch eich bys bach ar y sêr,
a dweud eich rhif hud yn uchel,
gyda'ch gilydd. Nawr, gwnewch eich dymuniad
yn dawel i'ch hunan. Ac efallai, un diwrnod,
y daw eich dymuniad yn wir.

Cariad mawr

Siriol
x

I Becci Phillips
gyda dymuniadau pefriog
oddi wrth Anti Emma X

Felicity Wishes © 2000 Emma Thomson
Trwyddedwyd gan White Lion Publishing

Cyhoeddwyd gyntaf ym Mhrydain yn 2006
gan Hodder Children's Books

Cyhoeddwyd gyntaf yn Gymraeg yn 2010 gan
Wasg Gomer, Llandysul, Ceredigion, SA44 4JL.
www.gomer.co.uk

ⓗ testun a'r lluniau: Emma Thomson, 2006 ©
ⓗ testun Cymraeg: Eiry Miles, 2010 ©

Mae Emma Thomson wedi datgan ei hawl
dan Ddeddf Hawlfreintiau, Dyluniadau a Phatentau 1988
i gael ei chydnabod fel awdur ac arlunydd y llyfr hwn.

ISBN 978 1 84851 134 7

Noddwyd gan Lywodraeth Cynulliad Cymru.

Argraffwyd a rhwymwyd yng Nghymru gan
Wasg Gomer, Llandysul, Ceredigion.

CYNNWYS

Aderyn Annwyl

Roedd Siriol Swyn yn teimlo'n rhyfedd. Roedd wedi bod yn bwrw glaw yn ddibaid am bum diwrnod yn Nhre'r Blodau ac roedd pawb a phopeth, gan gynnwys Siriol ei hun, yn teimlo braidd yn ddigalon.

'Rwyt ti fel arfer yn llawn bwrlwm,' meddai Poli, wrth iddynt gysgodi rhag y glaw o dan yr Hen Dderwen Fawr.

'Rwy'n gwybod,' meddai Siriol, gan lusgo'i thraed trwy bwll dŵr mwdlyd. 'Ond nawr rwy'n teimlo'n gwbl ddi-hwyl, a dydw i na fy ffon hud ddim yn gwybod pam.'

'Y tywydd yw'r broblem,' meddai Poli'n bendant. 'Dyna pam fod hyd yn oed y tylwyth teg hapusaf yn cerdded o gwmpas gydag adenydd llwyd, llipa.'

'Adenydd pwy sy'n llwyd ac yn llipa?' bloeddiodd Moli, gan lanio wrth eu hochr gyda sblash fawr.

'Nid ti!' chwarddodd Mali, gan edmygu Moli yn ei gwisg newydd, ffasiynol. Roedd Moli'n dwlu ar ddillad, ac wrth ei bodd yn dilyn ffasiynau diweddaraf y tylwyth teg. Oherwydd hyn, roedd hi'n gwisgo pâr o Adenydd Sych Gwych.

'Ble ym Myd y Tylwyth Teg gest ti'r rheina?' gofynnodd Siriol, â'i llygaid fel soseri.

'Siop Adenydd ac Addurniadau,' atebodd Moli'n falch, cyn troelli'n gyflym i'w dangos yn iawn, gan dasgu mwd dros goesau a sgert Siriol.

Ochneidiodd Siriol a chodi'i hysgwyddau. Roedd hi'n rhy ddigalon i deimlo'n flin, hyd yn oed.

'Maen nhw'n addo heulwen braf am wythnos o fory ymlaen, felly mae'n rhaid imi geisio gwisgo'r rhain cymaint â phosibl nawr!'

Gyda hynny, gwibiodd Moli i ffwrdd.

✳ ✳ ✳

Y bore wedyn, disgleiriai heulwen braf drwy ffenestr Siriol gan lenwi'i hystafell â golau euraidd hapus. Roedd hwnnw'n ddigon i godi calon unrhyw un. Wel, unrhyw un ond Siriol. Erbyn iddi gyrraedd yr ysgol, roedd ei hadenydd mor llipa nes eu bod bron â llusgo ar hyd y llawr. Roedd hyd yn oed ei gwallt yn hongian yn fflat dros ei hysgwyddau.

'Steil gwallt newydd?' holodd Mali'n ddiniwed.

'Nage,' meddai Siriol. 'Mae 'ngwallt i'n gwbl ddifywyd, fel fi. Wn i ddim beth sy'n bod. Does dim rheswm imi fod â 'mhen yn fy mhlu.'

Yn sydyn, dechreuodd droelli mewn panig ar ôl sylweddoli o'r diwedd beth oedd o'i le. 'Fy aderyn!' bloeddiodd. 'Mae Byrti wedi mynd! Ro'n i'n gwybod bod 'na rywbeth yn gwneud imi deimlo'n drist!'

Byrti Bach oedd aderyn glas Siriol. Doedd Siriol erioed yn cofio hedfan heb Byrti wrth ei hochr. Yn ei ffordd fach dawel ei hun, byddai Byrti bob amser yn gofalu am Siriol, gan ei harwain â'i blu meddal braf oddi wrth unrhyw berygl. Ac er nad oedd hi bob amser yn sylwi ei fod yno, roedd Siriol yn teimlo ar goll hebddo.

'Dyna ofnadwy!' meddai Siriol yn syn.

'Rydw i wedi bod yn teimlo'n rhyfedd hebddo ers dyddiau, a dim ond nawr rwy'n sylwi ei fod e wedi mynd!'

'Ble rwyt ti'n credu mae e?' gofynnodd Mali'n betrusgar.

'Wn i ddim! Dyw e erioed wedi fy ngadael i o'r blaen, ddim hyd yn oed am funud.'

'Wyt ti'n gallu cofio ble gwelaist ti e ddiwethaf?'

'Nac ydw! Wel, rwy'n cofio ei fod e gyda fi yn yr ysgol ddydd Iau diwethaf, achos daeth i'm helpu pan es i ar goll ar fy ffordd i'r wers wyddoniaeth,' meddai Siriol.

'Ai dyna'r diwrnod y gwnest ti lanast ofnadwy yn y dosbarth?' gofynnodd Moli, gan geisio peidio chwerthin. Doedd Miss Pefriog ddim yn rhy hapus ar ôl i Siriol achosi ffrwydrad yn y wers gemeg y diwrnod hwnnw.

'Doedd e ddim wir yn lanast ofnadwy . . . dim ond damwain fach,' meddai Siriol, gan wrido.

'Ta waeth am hynny, beth am ddilyn dy gamau di, i weld a allwn ni ddod o hyd i Byrti?' meddai Mali, gan newid y pwnc yn ofalus.

'Syniad da!' atebodd Siriol, gan deimlo'n well yn barod.

Chwilion nhw ym mhob man – o dan y byrddau, mewn cypyrddau, yn yr ystafell gotiau – ond doedd dim golwg o Byrti yn unman. Roedd fel petai e wedi diflannu!

Roedd gwersi'r prynhawn yn anoddach nag arfer i Siriol am nad oedd Byrti yno.

'Coda dy adenydd a chanolbwyntio!' meddai Miss Taith, yr athrawes ddaearyddiaeth, wrth iddi blygu i godi Siriol allan o'r ffos.

'Mae'n bwysig iawn i ti edrych ble rwyt ti'n mynd, yn ogystal â defnyddio'r cwmpawd!'

'Iawn, Miss,' ochneidiodd Siriol. 'Rwy'n siŵr, petai Byrti gyda fi, fyddwn i ddim wedi gwneud cymaint o ffŵl ohonof i fy hun,' mwmialodd.

Teimlai y byddai'n saff yn ei gwers nesaf, sef coginio, ond heb Byrti wrth ei hochr roedd hynny'n fwy anodd nag y dychmygodd.

'Wel wir, Siriol!' meddai Miss Gwenith, yn surbwch. 'Mae angen tylino'r toes yn dda, ond soniais i ddim am benlinio ynddo, chwaith!'

'Mae'n ddrwg gen i, Miss,' meddai Siriol yn swil. 'Fe lithrais i, rywsut.'

✳   ✳   ✳

'Beth ddigwyddodd i ti?' chwarddodd Moli wrth i Siriol ddod at gatiau'r ysgol.

Edrychodd Siriol i lawr ar y twll yn ei theits, a sychu'r blawd oddi ar ei thrwyn wrth i Mali dynnu deilen yn ofalus o'i choron.

'Dyw Byrti ddim yma. Dyna beth yw'r broblem!' meddai Siriol, gan wenu'n drist. 'Do'n i ddim wedi sylweddoli cymaint rwy'n dibynnu arno. A nawr, mae e wedi mynd.' Llanwodd ei llygaid â dagrau. 'Wn i ddim beth i'w wneud.'

'Fe ddyweda i wrthot ti beth wnawn ni!' meddai Poli, a oedd bob amser yn ddoeth iawn. 'Fe wnawn ni ddal ati i chwilio amdano. A phan ddown ni o hyd iddo fe, byddi di'n union fel roeddet ti o'r blaen. Ni yw dy ffrindiau gorau di, a does 'run ohonon ni'n hoffi dy weld di'n drist.'

* * *

Y bore hwnnw, aeth Moli, Poli, Mali a Siriol i chwilio am Byrti unwaith eto.

Moli oedd y gyntaf i weld ffrind bach pluog Siriol, yn y parc.

''Drycha!' gwichiodd yn gyffrous. 'Byrti! Dacw fe! Rwy'n gallu'i weld e!'

'Ble?' bloeddiodd Siriol, gan graffu i'r pellter.

'Draw fanna!' meddai Poli. 'Ces i gip arno fe hefyd, am eiliad! Roedd e wrth ymyl y llwyn 'na – fe welais i ei blu glas llachar!'

Ond roedd Siriol wedi mynd, gan hedfan ar wib draw at lecyn lle'r oedd degau o dylwyth teg yn chwarae, yn darllen ac ymlacio yn yr haul braf. Curodd ei chalon yn gyflymach wrth iddi ddod yn nes. Gallai weld Byrti'n codi i'r awyr am eiliad neu ddwy, cyn diflannu eto y tu ôl i'r llwyn. 'Tybed beth mae e'n wneud?' meddyliodd wrthi'i hun, gan ysgwyd ei hadenydd yn wyllt. 'Mae e'n sicr wedi magu pwysau ers iddo fynd i ffwrdd – mae ei fol bach e'n grwn iawn!'

Ond wrth i Siriol nesu at y llwyn, roedd bol Byrti'n edrych yn dewach ac yn dewach o hyd . . . tan iddi weld nad Byrti oedd e o gwbl, ond pêl fach las yn cael ei thaflu gan ei ffrind, Gwenno!

'Wyt ti eisiau chwarae?' gofynnodd Gwenno, gan sylwi bod Siriol yn syllu'n gegrwth ar ei phêl.

'Ym, dim diolch!' meddai Siriol, gan deimlo'n siomedig. 'Ro'n i'n credu mai f'aderyn bach glas i oedd dy bêl di! Wyt ti wedi'i weld e, gyda llaw?'

'Gallet ti drio'r pwll dŵr wrth y parc,' meddai Gwenno'n garedig. 'Mae 'na lawer o adar yno bob amser.'

'Diolch!' meddai Siriol, gan droi 'nôl at ei ffrindiau.

'Efallai mai dyna'r broblem. Efallai bod Byrti wedi cael llond bol ar y tylwyth teg, a'i fod e am dreulio amser gyda'i ffrindiau bach pluog,' meddyliodd.

'Mae hynny'n gwneud synnwyr,' meddai Mali, pan rannodd Siriol ei syniad gyda hi. 'Beth am fynd yno nawr, i weld?'

Gallai Siriol a'i ffrindiau glywed yr adar wrth y pwll, hyd yn oed cyn eu gweld. Roedd eu trydar swynol yn cario ar yr awel am filltiroedd, a'u cân bob amser yn atsain drwy Tre'r Blodau. Tan hynny, doedd Siriol ddim wedi cymryd llawer o sylw ohonyn nhw.

'Rwy'n credu 'mod i'n gallu clywed llais Byrti!' gwaeddodd Siriol. 'Mae'n dwlu ar hwiangerddi – gwrandewch!'

Tawelodd Moli, Poli a Mali am eiliad, gan arafu eu hadenydd i gael gwrando. Roedden nhw'n gallu clywed alaw 'Dau Gi Bach'.

'Ie!' meddai Moli. 'Rwy'n adnabod y gân! Byrti yw e, mae'n rhaid. Does dim un aderyn arall yn canu fel yna.'

Ac i ffwrdd â Siriol unwaith eto, gan wibio heibio'r lleill i weld ei ffrind bach coll.

Erbyn i Poli, Mali a Moli gyrraedd ati, roedd Siriol yn edrych yn ddigalon unwaith eto.

'Nid Byrti oedd e?' gofynnodd Poli, gan edrych dros ysgwydd ei ffrind.

Edrychodd Siriol yn drist, gan edrych draw at y fan hufen iâ.

'Ydy e'n mynd i gael hufen iâ?' mentrodd Mali.

'Nac ydy, y dwpsen!' meddai Siriol. 'Nid Byrti oedd yn canu hwiangerddi – y fan hufen iâ oedd yn gwneud y sŵn!'

'O, Siriol!' meddai Poli, gan roi cwtsh mawr i'w ffrind. 'Dydyn ni ddim yn cael llawer o lwc hyd yn hyn, nac ydyn?'

'Beth am gael hufen iâ,' awgrymodd Moli. 'Byddai pawb yn teimlo'n well wedyn.'

Yn dawel fach, aeth pawb i eistedd wrth y pwll i fwyta'u hufen iâ. Dechreuodd Siriol edrych ar ei chôn. Yn sydyn, cafodd syniad. 'Mae bod yma wrth y dŵr yn bwyta hufen iâ yn f'atgoffa i o'r traeth.'

'Beth?' meddai Moli, 'wyt ti'n credu bod Byrti wedi mynd ar ei wyliau?'

'Efallai,' meddai Siriol. 'Dyw e erioed wedi mudo o'r blaen, ond mae tro cyntaf i bopeth.'

'Ond sut galli di ddod o hyd iddo?' gofynnodd Poli. 'Efallai ei fod e ym mhen draw Byd y Tylwyth Teg erbyn hyn.'

'Wn i ddim. Byddaf yn dal ati i chwilio, ond tan imi ddod o hyd iddo bydd yn rhaid imi wneud fy ngorau i ofalu amdanaf i fy hun,' meddai Siriol, gan ollwng y tamaid olaf o'i hufen iâ ar y llawr wrth geisio'i lyfu.

✳   ✳   ✳

Dros y dyddiau nesaf, ceisiodd Siriol fod yn ofalus bob amser. Ceisiodd

ganolbwyntio ar ei gwersi a'i gwaith,
yn lle meddwl am ei ffrind bach coll.
Ond doedd dim pwynt.

Bob dydd, byddai rhyw anffawd arall
yn digwydd iddi, ac erbyn bore dydd
Iau roedd golwg ofnadwy arni. Roedd
ei ffon hud wedi torri ar ôl iddi
syrthio'n bendramwnwgl
i lawr y grisiau, a'i
choron wedi plygu
pan faglodd dros
ei bag.
Yn waeth na hynny
roedd ei hoff bâr o
deits streipiog yn
dyllau i gyd.

'Siriol, dydw i erioed wedi dy weld
di'n edrych mor anniben!' meddai Mali,
gan syllu'n syn ar ei ffrind blêr.

'Rwy'n gwybod. Rwy'n chwilio am
Byrti o hyd, yn lle edrych i ble rwy'n
mynd!' cyfaddefodd wrth Mali, pan
oedden nhw'n eistedd mewn gwers
wyddoniaeth.

'Paid â phoeni, Siriol,' meddai Mali. 'Rwy'n siŵr y daw e 'nôl atat ti'n fuan.'

'Dydw i ddim wedi gweld Byrti ers yr adeg yma yr wythnos ddiwethaf,' ochneidiodd Siriol, gan bwyntio at ôl ei draed bach ar y llyfr o'i blaen. 'Rwy'n cofio'n dda, gan i mi achosi ffrwydrad anferthol gyda fy mhowdr anweledig. Fe wnaeth Miss Pefriog fy nghadw i yma ar ôl ysgol i lanhau'r llanast!'

'Felly, roeddet ti'n cael damweiniau hyd yn oed pan oedd Byrti yma,' meddai Moli.

'Wel, dim cymaint ohonyn nhw!' chwarddodd Mali.

'Efallai wir,' meddai Siriol, gan sythu'i hysgwyddau'n benderfynol. 'Ond dydw i ddim am gael mwy o ddamweiniau, hyd yn oed heb Byrti.'

Gwrandawodd Siriol mor astud ar Miss Pefriog nes i'r athrawes ddechrau credu bod rhywbeth o'i le!

Ond pan oedd y dosbarth ar fin cyrraedd cam pwysig yn yr arbrawf, dechreuodd Siriol freuddwydio. Y tu allan i'r ffenestr, gwelai rywbeth glas ar ffens yr ysgol. Doedd Siriol ddim yn gwbl siŵr, ond wrth iddi ymestyn ar flaenau'i thraed, meddyliodd efallai mai Byrti oedd yno.

'Nawr, byddwch yn ofalus iawn, ddosbarth – mae'r powdr hud yma'n bwerus iawn. Dydyn ni ddim eisiau rhagor o ddamweiniau!' meddai Miss Pefriog yn llym, gan edrych ar Siriol.

Ar yr eiliad honno, collodd Siriol ei chydbwysedd. Estynnodd ei llaw i geisio'i hachub ei hun, ond roedd yn rhy hwyr! Gan ddal y powdr hud ysgafn yn ei llaw, cwympodd Siriol gan roi hergwd galed i Poli.

Yn raddol, fel petai pawb a phopeth wedi arafu, gollyngodd Poli ei phowdr.

Cododd y powdr i fyny i'r awyr, gan chwalu yn erbyn powdr hud Siriol. Gwyliodd Miss Pefriog y ddwy, ei llygaid yn llawn braw. Eiliad yn unig a gafodd i weiddi 'LAWR!' cyn i ffrwydrad anferthol daranu drwy'r labordy cemeg! Hedfanodd coronau drwy'r awyr, saethodd ffyn hud ar wib, a thasgodd y powdr fel gwreichion gwyllt dros adenydd y tylwyth teg.

✳ ✳ ✳

Ar ôl i bawb ailymddangos – y tylwyth teg oedd wedi cuddio o dan eu desgiau, a'r lleill oedd yn sownd i'r nenfwd – roedd dagrau'n llifo i lawr wyneb Siriol.

'Dere nawr!' meddai Miss Pefriog, gan sythu'i choron. 'Paid â chrio. Roedd y llanast wnest ti gyda'r powdr anweledig yr wythnos ddiwetha'n llawer gwaeth na'r ddamwain yma heddiw, Siriol.'

Ond doedd dim modd cysuro Siriol druan.

'Siriol fach, paid â thorri dy galon. Gallwn ni drwsio popeth,' meddai Miss.

Edrychodd ar ei ffon, hud cyn edrych yn betrusgar ar ffyn y tylwyth teg eraill yn y dosbarth.

'D-d-d-dydw i ddim yn crio achos 'mod i'n drist,' ebychodd Siriol. 'Dagrau hapus ydyn nhw!'

Gwgodd Miss Pefriog.

'Rydw i wedi dod o hyd i Byrti!' meddai Siriol, gan wenu'n llydan ar bawb.

Camodd Miss Pefriog yn ofalus dros y llanast ar y llawr, cyn symud at ddesg Siriol. Yno, roedd aderyn bach glas yn chwibanu hwiangerddi.

'Ond o ble daeth e?' ebychodd Mali. 'Rydyn ni wedi bod yn chwilio amdano ers dyddiau!'

'Rwy'n credu 'mod i'n gwybod!'

sibrydodd Poli'n
feddylgar.
'Dydw i ddim
yn credu mai
cyd-ddigwyddiad
yw'r ffaith ei
fod e wedi
ymddangos yn y
wers wyddoniaeth.'

'Beth rwyt ti'n ei feddwl?'
gofynnodd Moli.

'Wel, efallai bod y powdr anweledig
wedi cael effaith ar Byrti yn y
ddamwain yr wythnos ddiwethaf.
A nawr, mae e wedi dod i'r golwg
unwaith eto achos bod Siriol newydd
fwrw rhyw fath o swyn, ar ddamwain!'

'Rwy'n siŵr dy fod ti'n iawn!'
meddai Miss Pefriog. 'Enghraifft
berffaith o'r wers ro'n i'n ei dysgu i
chi. Roedd Siriol, yn amlwg, yn
dymuno'n gryf iawn am gael Byrti'n
ôl. Mae hyn yn profi'r hyn rwy'n
ei ddweud wrthoch chi o hyd.

Mae powdr hud yn bwysig, ond dyw e ddim mor bwysig â'r dymuniad y mae'n helpu ei wireddu!'

'A doedd Byrti ddim wedi fy ngadael i,' meddai Siriol, gan gofleidio'i haderyn bach glas. 'Hyd yn oed pan fydd ffrindiau'n ymddangos yn bell i ffwrdd, maen nhw'n agos aton ni, mewn gwirionedd.'

Dydy dy ffrindiau byth yn bell i ffwrdd

oherwydd maen nhw bob amser yn dy galon

Paradwys Pinc

Roedd Gwenno, ffrind Siriol Swyn, yn crynu fel deilen wrth faglu i mewn i'r dosbarth cofrestru un bore.

'Mae dy adenydd di'n gryndod i gyd!' meddai Siriol, gan hedfan ati am sgwrs. 'Wyt ti eisiau benthyg fy nghardigan?'

'Dydw i ddim yn oer,' meddai Gwenno, a'i llais braidd yn grynedig hefyd. 'Rydw i wedi cael newyddion cyffrous iawn! 'Drycha!' meddai, gan dynnu amlen fawr ddisglair o'i bag.

Wrth i Siriol ddarllen y llythyr oedd yn yr amlen, dechreuodd ei hadenydd hithau grynu hefyd!

'O, Gwenno!' ebychodd. 'Dyna newyddion ardderchog! Rydw i mor falch drosot ti. Fe gei di gyfle i ddangos dy ddoniau a chreu pob math o anturiaethau gwych!'

Roedd Gwenno, a oedd eisiau bod yn un o'r Tylwyth Teg Anturus ar ôl graddio o Ysgol y Naw Dymuniad, newydd gael cynnig gwaith ar benwythnosau mewn parc antur newydd sbon ar gyrion Tre'r Blodau.

'Ydy, mae'n grêt!' meddai Gwenno. 'Meddylia am yr holl bethau y gallwn i eu hawgrymu. Rydw i wedi bod wrthi drwy'r nos yn meddwl am syniadau.' Ac yn llawn cyffro, dangosodd ei llyfr nodiadau i Siriol.

'Ond mae 'na un peth na alla i benderfynu yn ei gylch. Mae angen rhyw thema i dynnu'r holl reidiau a'r gwahanol nodweddion at ei gilydd. Ti'n gwybod, rhywbeth fel thema ynys bellennig neu thema llong ofod,' meddai Gwenno, gan gnoi top ei phensil.

Caeodd Siriol ei llygaid i feddwl.

Roedd Byrti, aderyn glas Siriol, wedi bod yn eistedd ar ysgwydd Siriol ac yn gwrando'n astud ar eu sgwrs. Yn sydyn, dechreuodd bigo'n chwareus ar gardigan binc Siriol.

'Na, Byrti!' chwarddodd Siriol. 'Mae Gwenno wedi dweud nad yw hi'n oer. Teimlo'n gyffrous mae hi!'

Ysgydwodd Byrti'i ben a dechrau pigo'r gardigan unwaith eto.

'Beth wyt ti'n ceisio'i ddweud?' gofynnodd Siriol. Roedd hi'n cael trafferth deall trydar Byrti. 'Parc ar thema cardigan? Mae'n syniad hyfryd ond, rywsut, alla i ddim gweld rhywbeth fel'na'n gweithio.'

Dechreuodd Byrti deimlo'n rhwystredig. Ysgydwodd ei ben eto, a phlymio i mewn i fag Siriol.

Tynnodd ei hoff feiro pinc allan.

'Thema arlunio ar gyfer y parc?' holodd Siriol. 'Na, dydw i ddim yn credu, Byrti. Bydd raid inni gael thema y bydd pob tylwythen deg yn dwlu arni.'

Roedd Byrti'n dechrau colli'i amynedd. Gan ysgwyd ei adenydd, tynnodd yn ysgafn ar y rhuban pinc yng ngwallt Gwenno.

'O, 'drycha! Mae e'n credu mai mwydyn yw dy ruban gwallt di!' chwarddodd Siriol. 'Ond wyddost ti beth . . . mae e wedi rhoi syniad ardderchog i mi. Beth am gael thema "Pinc"?'

Curodd Gwenno ei dwylo'n hapus, a rholiodd Byrti ei lygaid – dyna roedd e wedi bod yn ceisio'i ddweud!

'Dyna syniad ardderchog!' meddai Gwenno, oedd yn teimlo wrth ei bodd. 'A bydd yn gweithio mor dda gyda phob un o'm syniadau i.'

✶ ✶ ✶

Croeso i Barc Thema Gwlad y Pinc!

Bydd llwybr pinc disglair yn eich arwain o amgylch deuddeg ardal wahanol sy'n cynnwys stondinau a reidiau, er mwyn rhoi'r profiad pinc gorau erioed i chi. Ewch i ymweld ag o leiaf tair ardal, i gael diwrnod pinc perffaith. Mwynhewch!

1. Gwisgoedd Pinc – Ddim yn gwisgo pinc heddiw? Dewch draw i'r stondin hon i wisgo pinc o'ch corun i'ch sawdl.

2. Gwallt Pinc – Beth am gael gwallt pinc pert? Mae gennym dros gant o liwiau pinc gwahanol. Dewiswch y lliw sy'n gweddu i chi!

3. Hufen Iâ Pinc – Cofiwch alw am damaid blasus yn ystod eich diwrnod pinc prysur! Dewch i stondin rhif tri i gael hufen iâ blas mefus, losin pinc a malws melys.

4. Reid Pinc – Dringwch i ben y mynydd candi-fflos mewn cerbyd pinc agored, a mwynhau'r golygfeydd syfrdanol.

5. Pincio'ch Personoliaeth – Rydych yn gwisgo popeth pinc, ond pa mor binc yw'ch personoliaeth? Dewch i'r gweithdy hwn, er mwyn troi'ch tu mewn yn fwrlwm pinc hefyd.

6. Paent Pinc – Yn lle peintio'r byd yn wyrdd, beth am fynd ati i'w beintio'n binc? Cewch greu campwaith pinc i'w roi mewn ffrâm ar eich wal, i'ch atgoffa am heddiw.

7. Nofio Pinc – Dewch i gael hwyl a sbri yn ein pwll nofio pinc. Byddwn yn rhoi gwisg nofio binc arbennig i chi.

8. Breuddwydion Pinc – Braidd yn flinedig ar ôl eich anturiaethau pinclyd? Ymlaciwch a dadflino yn ein hafan hyfryd, Breuddwydion Pinc.

9. Car Sglefrio Pinc –Dewch i gael hwyl ar reid a fydd yn rhoi pilipalod pinc yn eich bol.

10. Gwibiwr Pinc – Dewch am reid ar lolipop pinc anferthol ar gyflymder a fydd yn eich cyffroi ac yn troi'ch bochau'n binc!

11. Ymbincio – Pinc ysgafn i'ch llygaid, pinc fel rhosod i'ch gwefusau, a chawod o bowdr pinc ar eich bochau i gael wyneb pinc prydferth.

12. Machlud Pinc – Wrth i'r haul fynd i'w wely, gorffwyswch ar gwmwl llawn golau pinc hudolus.

Dros y misoedd nesaf, doedd Siriol a'i ffrindiau – Moli, Poli a Mali – ddim yn gweld Gwenno'n aml. Bob amser egwyl, byddai hi'n mynd i'r llyfrgell i gynllunio rhagor o anturiaethau i'w cynnwys ym mharc thema Gwlad y Pinc. A bob fin nos, ar ôl yr ysgol, byddai'n mynd i'r safle adeiladu lle'r oedd cannoedd o dylwyth teg yn dod â'i syniadau'n fyw.

Dim ond un diwrnod yn ystod gwers fathemateg ddwbl y cafodd Siriol gyfle o'r diwedd i siarad â Gwenno.

'Cau dy lygaid,' meddai Gwenno'n gyffrous wrth i Siriol eistedd yn ei hymyl, 'ac estyn dy ddwylo ata i.'

Gwnaeth Siriol hynny'n ufudd. Roedd hi wrth ei bodd yn cael syrpreis.

Edrychodd Moli, Poli a Mali dros ysgwydd Siriol, yn ysu am gael gweld y syrpreis.

'Iawn!' meddai Gwenno, yn gyffro

i gyd. 'Fe gei di agor
dy lygaid nawr!'

Agorodd Siriol ei
llygaid yn gyflym –
ac yn llaw Gwenno
roedd pedwar tocyn
pinc disglair.

'Hoffwn i ti, Moli,
Poli a Mali fod y rhai
cyntaf i weld y parc
thema. Mae'r agoriad mawreddog
ddydd Sadwrn nesaf. Gobeithio y
gallwch chi i gyd ddod!'

* * *

Doedd Siriol a'i ffrindiau ddim yn
gallu meddwl am unrhyw beth arall
am weddill yr wythnos, a phan ddaeth
dydd Sadwrn o'r diwedd, roedden
nhw bron â byrstio o gyffro.

Safai Gwenno'n falch wrth y gât, yn
barod i'w croesawu.

'I ddechrau, rhaid i mi roi'r rhain
i chi,' meddai, gan estyn taflenni i
Moli, Poli, Mali a Siriol. 'Ar un ochr,

mae cyfarwyddiadau ar gyfer
defnyddio'r parc, ac mae 'na fap

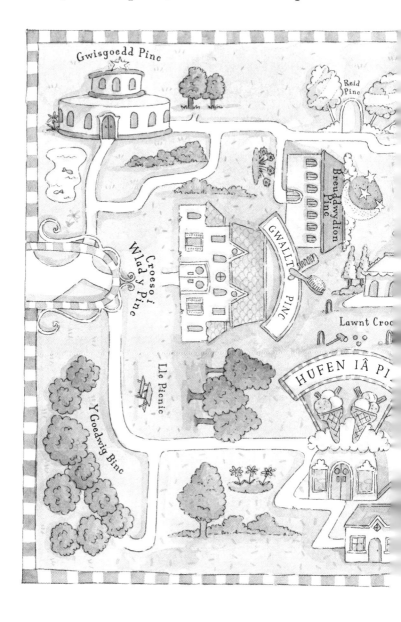

ar yr ochr arall, rhag ofn i chi fynd
ar goll.'

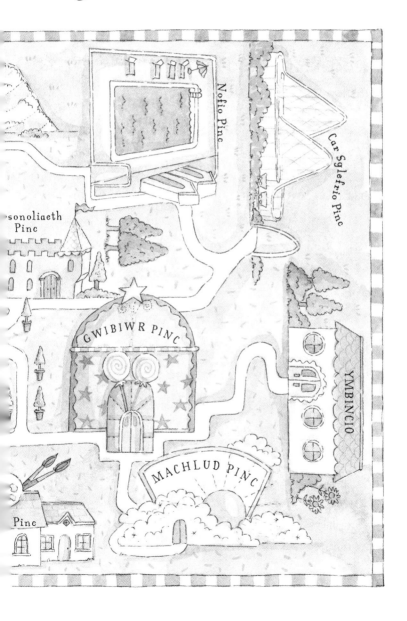

Roedd Siriol, Moli, Poli a Mali wrth eu bodd. Edrychodd pawb ar eu mapiau.

'Dwn i ddim beth i'w ddewis gyntaf!' meddai Siriol wrth ei ffrindiau. 'Rydw i eisiau gwneud popeth!'

Tapiodd Byrti ei big ar hyd yr ysgrifen ar frig y dudalen.

'O, mae'n dweud fan hyn y dylen ni wneud o leiaf dri pheth,' aeth Siriol yn ei blaen, gan ddarllen y daflen yn ofalus. 'Does dim digon o amser i wneud popeth mewn un diwrnod.'

'Rwyt ti'n iawn,' meddai Gwenno. 'Fe wnaethon ni gynllunio Gwlad y Pinc fel bod pawb yn gallu dod dro ar ôl tro, gwneud cyfuniad gwahanol o bethau, a chael profiad pinc newydd bob tro!'

'Ffantastig!' meddai Moli, a oedd eisoes wedi dewis tri lle gwahanol i fynd iddyn nhw.

'Am beth rydyn ni'n aros? Brysiwch!' bloeddiodd Poli, wrth iddi arwain

pawb o dan fwa mawr pinc y fynedfa
i'r parc.

* * *

'Alla i ddim credu fy llygaid!' meddai
Siriol, gan droi yn ei hunfan a goglais
Byrti â'i gwallt. 'Mae popeth yn binc!
Y blodau, y llwybr, gwisgoedd y staff –
hyd yn oed yr awyr!'

'Mae'n rhaid i mi gael gwisg binc ar
unwaith!' meddai Moli, gan deimlo
braidd yn lletchwith yn ei ffrog goch.

'A finnau!' meddai Mali, gan edrych i
lawr ar y patrwm o flodau glas pert ar
ei sgert.

'Wel, does dim angen gwisg binc
arna i,' chwarddodd Siriol. Pinc oedd
ei hoff liw, a doedd hi byth yn gwisgo
unrhyw liw arall! 'Rwy'n mynd i liwio
fy ngwallt yn binc!'

'Beth am i bawb gwrdd wrth y lle
Hufen Iâ Pinc ymhen awr?' awgrymodd
Poli. Doedd hi heb benderfynu eto
beth i'w wneud gyntaf.

* * *

Prin bod y pedair tylwythen deg yn adnabod ei gilydd yn y caffi hufen iâ!

Yn hytrach na phrynu wìg, roedd Siriol wedi cael trin ei gwallt nes ei fod yn llawn cwrls pinc pefriog.

Roedd Moli a Mali'n edrych fel rhosod bach yn eu ffrogiau pinc newydd, ac roedd pawb yn edmygu'r colur pinc ar wyneb pert Poli.

'Dyna lle rydw i'n mynd nesaf!' meddai Siriol, gan edrych i lawr yn ofalus ar y powdr pinc disglair ar amrannau Poli. 'Rwyt ti'n edrych yn brydferth iawn!'

'Wel, rwy'n mynd ar y Gwibiwr Pinc nesaf!' cyhoeddodd Moli, gan bwyntio ar y reid y tu ôl iddi. 'Pwy sydd am ddod gyda fi?'

'Fi!' meddai Mali, gan neidio i fyny ac i lawr wrth wylio'r cerbyd yn saethu heibio'n wyllt. 'Bydd e'n sbort!'

'A finnau!' meddai Poli.

'Wel, mae tipyn o giw yno, felly byddwch chi siŵr o fod yn dal i aros ar ôl i mi gael fy ngholur. Fe ddof i draw erbyn i chi ddod i lawr,' awgrymodd Siriol.

✳ ✳ ✳

Roedd sesiwn ymbincio Siriol yn fendigedig. Eisteddai mewn cadair euraidd â sedd felfed binc a cherfiadau cywrain arni. Daeth dwy dylwythen deg â dewis di-ben-draw o golur iddi, sef colur i'r llygaid a'r bochau, a minlliwiau o bob lliw pinc yn y byd. Ar gyfer ei llygaid, dewisodd gael enfys o binc, yn dechrau â phinc ysgafn ac yn gorffen â phinc tywyll fel ceirios. Ar gyfer ei bochau, dewisodd ddau liw pinc a oedd yn cyd-fynd yn berffaith â'r sglein pinc ar ei gwefusau.

Ar ôl gorffen yn y salon ymbincio, sgipiodd Siriol tuag at y Gwibiwr Pinc. Trwy gornel ei llygaid, sylwodd ar rywbeth cyffrous iawn.

Edrychodd Siriol ar ei wats. Roedd ciw hir yn aros am y Gwibiwr Pinc, ac

roedd ei sesiwn ymbincio wedi gorffen yn gynnar. Roedd hi'n siŵr bod ganddi ddigon o amser i gael tro cyflym ar y Reid Pinc cyn cwrdd â'i ffrindiau . . .

* * *

Roedd Moli, Poli a Mali wrthi'n ysgwyd llwch pefriog o'u dillad ar ôl dod oddi ar y reid.

'Roedd hwnna'n anhygoel!' chwarddodd Moli, gan arllwys powdr pefriog dros ei ffrindiau wrth iddi ysgwyd ei gwallt.

'Roedd e'n sbort, ond rydw i wedi blino'n rhacs! Beth am fynd draw i Breuddwydion Pinc i ymlacio ar ôl i Siriol gyrraedd yma?' awgrymodd Poli.

'Syniad da!' meddai Mali, gan edrych ar ei map. 'Wel, mae hafan hyfryd Breuddwydion Pinc y drws nesaf i'r parlwr ymbincio. Os cerddwn ni draw yno nawr, byddwn ni'n siŵr o daro ar Siriol.'

Ond erbyn i'r tylwyth teg gyrraedd yr hafan hyfryd, doedd dim golwg o'u ffrind. A phan alwodd Mali i mewn i'r parlwr ymbincio drws nesaf, dywedodd y dylwythen harddwch fod Siriol wedi gadael ers deng munud.

Yn y cyfamser, roedd Siriol wedi bod yn dringo'r mynydd candi-fflos mewn cerbyd agored pinc. Agorodd ei cheg mor llydan wrth edmygu'r golygfeydd nes bod Byrti'r aderyn glas bron wedi hedfan i mewn!

Yn sydyn, daeth y cerbyd i stop.

'Dyna hyfryd fod y reid yn aros am ychydig fan yma,' meddai Siriol yn ysgafn wrth Byrti. 'Er mwyn inni fwynhau'r olygfa, siŵr o fod. Galla i weld popeth o'r fan yma! Dacw'r parlwr ymbincio, stondin y ffrogiau pinc, y pwll nofio pinc a'r hafan hyfryd.'

'O, brensiach! Dacw Moli, Poli a Mali,' bloeddiodd Siriol, gan chwifio'i dwylo a neidio'n wyllt i geisio dal sylw ei ffrindiau. 'Mae'n rhaid bod eu reid wedi gorffen yn gynnar.'

Edrychodd o gwmpas y cerbyd am fotwm i wneud i'r cerbyd fynd â hi'n ôl i lawr y mynydd candi-fflos i gwrdd â'i ffrindiau.

'Alla i ddim credu bod hwn wedi torri,' meddyliodd, gan geisio peidio â meddwl y gwaethaf.

Ond roedd Byrti eisoes wedi gweld bod rhywbeth mawr o'i le.

Chwibanodd Byrti mor uchel ag y gallai, i ddenu sylw Siriol. Roedd olwynion y cerbyd yn sownd mewn candi-fflos gludiog, pinc!

'O, brensiach!' meddai Siriol, gan edrych o'i chwmpas a rhoi ychydig o gandi-fflos yn ei cheg i wneud yn siŵr mai dyna beth oedd e. 'Bydd yn rhaid i mi ein gwthio ni allan o'r stwff ych a fi 'ma.'

Gan ddefnyddio holl nerth ei hadenydd, gwthiodd Siriol y cerbyd dro ar ôl tro, ond doedd e ddim yn symud modfedd. Wedi ymlâdd ar ôl ymdrechu mor galed, gorweddodd yn ôl yn y candi-fflos meddal i gael ei gwynt ati.

'Does dim pwynt!' meddai wrth Byrti. 'Mae'r cerbyd yn sownd! Bydd raid imi hedfan yn ôl i gael help.'

Ond pan geisiodd Siriol godi, gwelodd nad y cerbyd yn unig oedd yn sownd. Roedd ei hadenydd hefyd yn gwbl sownd yn y candi-fflos gludiog!

✷ ✷ ✷

Yn ôl ar y ddaear yn hafan hyfryd Breuddwydion Pinc, roedd Moli, Poli a Mali yn dechrau poeni.

'Maen nhw wedi galw am Siriol ar yr uchelseinydd, ond does neb wedi'i gweld,' meddai Moli, gan eistedd yn swp mewn cadair binc. 'Rydw i wedi edrych ym mhobman – y stondinau a'r reidiau i gyd – ond does dim golwg ohoni yn unlle.'

'Mae hyn yn anobeithiol!' meddai Poli, gan ddechrau digalonni. 'Fel arfer, mae'n rhwydd iawn gweld Siriol oherwydd ei dillad pinc, ond yn y fan yma, mae hi'n toddi i mewn i'r cefndir, yn enwedig gyda'i gwallt pinc newydd!'

Dechreuodd dagrau mawr gronni yn llygaid Poli, cyn llifo i lawr ei bochau. Yna, teimlodd bluen ysgafn yn eu sychu.

'Byrti!' ebychodd Poli. 'O ble ddest ti? Ble mae Siriol?'

Canodd Byrti â'i holl nerth.

'Dydw i ddim yn deall,' meddai Moli, gan edrych yn ddryslyd ar yr aderyn. 'Oes unrhyw un arall yn deall?'

'Dydw i ddim,' meddai Mali.

'Mae e'n bendant yn trio dweud rhywbeth,' meddai Poli, gan droi i wynebu'r aderyn bach glas. Roedd e wrthi'n pigo'n wyllt ar fwydlen yr hafan hyfryd.

'Wyt ti'n credu ei fod e'n chwilio am fwyd?' gofynnodd Mali.

'Mae'n edrych fel petai e eisiau inni brynu candi-fflos iddo,' meddai Moli.

Yn sydyn, cododd Byrti i'r awyr a hedfan at y drws.

'Rwy'n credu ei fod am inni ei ddilyn,' meddai Mali, gan gydio yn ei ffon hud.

Aeth Mali, Poli a Moli ar ôl Byrti trwy'r dyrfa o dylwyth teg pinc.

'Diolch byth bod Byrti'n las, neu bydden ni'n siŵr o'i golli yng nghanol yr holl binc 'ma, a byddai'n amhosibl inni ei ddilyn,' meddai Moli, gan gerdded yn sionc ar ôl ei ffrindiau.

Yn sydyn, stopiodd Byrti.

'O, brensiach,' meddai Poli, gan edrych i fyny i'r awyr. 'Y mynydd candi-fflos! Wyt ti'n dweud wrtha i bod Siriol yn sownd ar ben y mynydd candi-fflos?'

Chwibanodd Byrti'n uchel iawn.

Safodd Moli, Poli a Mali'n stond, ac edrych i fyny ar y mynydd pinc anferthol, sef canolbwynt y parc.

'Mae'r candi-fflos yna mor binc â Siriol,' meddai Moli, gan graffu i gael gwell golwg ar y mynydd. 'Wnawn ni byth ddod o hyd iddi!'

Ac yna, agorodd Byrti ei adenydd glas prydferth, a dechrau hedfan i gopa'r mynydd. Dilynodd Moli, Poli a

Mali yr aderyn gyda'u llygaid, wrth iddo hedfan yn uwch ac yn uwch.

Yn sydyn, yn disgleirio yn yr haul, ar gopa'r mynydd mawr, gwelodd Moli, Poli a Mali smotyn bach pinc yn chwifio'n wyllt.

'Dacw hi Siriol!' ebychodd Poli.

Gyda help Gwenno, daeth tîm achub at y mynydd ymhen ychydig funudau a llwyddo i ddod â Siriol i lawr yn ddiogel.

'Rydw i MOR falch o fod 'nôl ar y ddaear!' meddai Siriol, gan roi cwtsh i bawb gyda'i breichiau gludiog. 'Ond rydw i hyd yn oed yn fwy balch, oherwydd 'mod i wedi gwneud penderfyniad pwysig.'

'Beth?' gofynnodd Poli. 'Dwyt ti byth am fwyta candi-fflos eto?'

'Nage!' chwarddodd Siriol. 'Rydw i wedi penderfynu . . . mai fy ail hoff liw yw . . . GLAS!'

A gwridodd Byrti, nes bod ei fochau bach yn binc.

Pan fydd eich byd
yn ddi-liw,
meddyliwch am
bethau pinc
prydferth

Salwch Byrti Bach

Roedd Siriol Swyn a'i ffrindiau, Moli,
Poli a Mali, yn mwynhau prynhawn
diog yn yr haul. Roedden nhw'n yfed
ysgytlaeth hufen iâ ac yn gwrando ar
Siart Cant Uchaf Senglau'r Tylwyth
Teg ar y radio yng ngardd Mali.
Roedd cân newydd sbon Bethan
Befriog newydd gael ei rhyddhau yr
wythnos honno, ac roedd pawb yn
ysu i wybod a oedd hi wedi cyrraedd
rhif un.

'WAW! Ro'n i'n gwybod mai hi fyddai ar frig y siart!' gwichiodd Siriol, gan sboncio ar ei thraed a dechrau dawnsio.

'Yn syth i mewn ar rif un!' meddai Moli, gan ymuno yn y ddawns.

'Hi yw prif seren y tylwyth teg, ie wir!' meddai Poli'n gyffrous, gan siglo'i chorff i'r gerddoriaeth, a throelli yn yr unfan.

'Gwyliwch fy mlo–' gwaeddodd Mali. Ond cyn i Mali gael cyfle i orffen y gair, roedd Siriol, Moli a Poli wedi dawnsio drostyn nhw i gyd!

'O na!' ebychodd Mali, gan frysio at ei gwely blodau. 'Mae'r petwnias prydferth wedi'u sarnu!'

Rhoddodd Siriol, Moli a Poli y gorau i ddawnsio ac edrych ar y pridd dan eu traed.

'O, brensiach!' meddai Siriol, gan weld y llanast roedden nhw wedi'i wneud.

'Wps!' meddai Moli, gan godi'i thraed yn ofalus allan o'r pridd.

'Roedd y petwnias hyn i fod yn rhan o arddangosfa yn Sioe Flodau flynyddol Tre'r Blodau,' wylodd Mali.

'Mae'n wir ddrwg gennym ni, Mali,' meddai Siriol, gan roi cwtsh i'w ffrind. 'Paid â phoeni, fe wnawn ni dy helpu i dyfu rhagor ohonyn nhw. Ac rwy'n siŵr y bydd y rhai newydd hyd yn oed yn harddach na'r rhain.'

Edrychodd Mali i fyny ar Siriol a draw at Moli a Poli, a oedd yn dal i deimlo'n euog iawn ac yn methu edrych i fyw llygaid Mali.

'Does dim amser, mae arna i ofn,' meddai Mali, gan geisio rheoli'r dagrau. 'Mae'r sioe'n cael ei chynnal ymhen pythefnos. Roedd y petwnias i fod yn ganolbwynt yr holl arddangosfa.

Does dim ohonyn nhw ar ôl nawr, felly alla i ddim cymryd rhan yn y sioe.'

'Beth am inni greu arddangosfa arall?' awgrymodd Poli, yn synhwyrol. 'Mae gen ti ardd yn llawn planhigion o bob math, ac mae'r cyfan ar fin blodeuo.'

Roedd Mali'n gyndyn i anghofio am ei breuddwyd a'i huchelgais yn ystod y misoedd diwethaf: ennill gwobr gyntaf yn y sioe gyda'i phetwnias.

'Wn i ddim . . .' meddai, mewn llais bach gwan. 'Dim ond blagur yw'r holl flodau eraill sydd gen i. Bydd angen llawer iawn o ofal arbennig arnyn nhw, er mwyn iddyn nhw agor mewn pryd i greu arddangosfa newydd, dda.'

'Dyna'r peth lleiaf y gallwn ni ei wneud,' meddai Siriol, gan wybod bod Moli a Poli'n cytuno â hi.

✳ ✳ ✳

Roedd yn anodd i Mali anghofio am ei breuddwyd. Ar ôl i'w ffrindiau fynd adref, eisteddodd yn dawel ar y lawnt, gan syllu ar yr holl flagur hardd o'i chwmpas. Ceisiodd ddychmygu y bydden nhw'n gallu edrych cystal â'r petwnias druain. Bellach, doedd y rheiny'n ddim ond hen swp di-liw.

Yn araf ac yn feddylgar, cododd a cherdded o gwmpas yr ardd gan ddal ei beiro a'i llyfr nodiadau yn ei llaw.

Cyn hir, diflannodd yr olwg drist oddi ar ei hwyneb, a dechreuodd wenu o glust i glust.

'Dyma'r ateb!' chwarddodd, wrth siarad â Siriol ar y ffôn. 'Dwed wrth y lleill, ac fe gwrdda i â chi yng Nghaffi Seren ymhen hanner awr.'

✳ ✳ ✳

Yn llawn cyffro, dangosodd Mali ei syniadau newydd i'w ffrindiau. Byddai'r arddangosfa flodau newydd yn canolbwyntio ar flodyn clychlys prin iawn, gyda fioledau, clychau'r gog a bysedd y cŵn o'i amgylch. Byddai'n eithriadol o brydferth.

'Efallai,' meddai Mali'n betrusgar

wrth ei ffrindiau, 'yn fwy prydferth na'r petwnias, hyd yn oed.'

Yn ofalus, estynnodd Mali botiau'n llawn blagur gwerthfawr, wedi'u dewis yn arbennig i'w rhoi i bob un o'i ffrindiau. Gyda chyngor a chyfarwyddiadau pendant ganddi hi, byddai'r blodau, gyda thipyn o lwc, yn agor mewn pryd ar gyfer y sioe flodau.

'Mae'r bysedd y cŵn i ti,' meddai Mali wrth Moli, 'a'r fioledau i ti, Poli.'

'Does bosib dy fod ti'n rhoi'r clychlys i mi?' meddai Siriol. Doedd hi ddim yn un dda am arddio, a dweud y lleiaf.

Nodiodd Mali'n ddifrifol. 'Pan fyddan nhw'n blodeuo, bydd eu petalau nhw'n hardd iawn, tebyg i glychau'r gog. Fydden nhw ddim yn blodeuo yn y gwyllt tan fis Gorffennaf, ond gyda gofal a thamaid bach o hud a lledrith, fe ddylen nhw agor mewn pryd ar gyfer y sioe.'

Gwingodd Siriol. 'Efallai y gallwn i ofalu am rywbeth llai pwysig?'

'Rwy'n hollol sicr 'mod i eisiau i ti ofalu am y rhain,' meddai Mali'n bendant, 'am un rheswm arbennig iawn.'

Edrychodd Siriol yn chwilfrydig ar Mali.

'Byrti, dy aderyn bach glas di.'

'Fy aderyn glas i?' holodd Siriol, gan sylwi bod Byrti wedi tacluso'i blu a'i fod bellach yn eistedd yn falch ar ei choron, gan wrando'n astud ar Mali.

'Mae gan natur ffordd arbennig iawn o helpu blodau i fod mor hardd â phosib,' aeth Mali yn ei blaen.

Nodiodd Siriol, er ei bod yn dal i deimlo'n ddryslyd.

'Fel arfer, mae'r cylchlys yn byw mewn coedwigoedd, gydag adar bach fel Byrti o'u cwmpas. Mae pobl yn credu bod cân yr adar yn helpu'r blodau i dyfu. Felly, ti'n gweld, mae arna i dy angen di i ofalu amdanyn nhw.'

Yn sydyn, dechreuodd Siriol deimlo nad oedd ar neb ei hangen hi.

'Oes 'na rywbeth ar ôl i mi ei wneud?' gofynnodd yn dawel.

'O, oes,' meddai Mali, gan sylwi ar wyneb siomedig ei ffrind. 'Mae'r gwaith pwysicaf un gen ti, sef rhoi dŵr i'r blodau a'u llenwi â chymaint o gariad ac o heulwen ag y galli di.'

Gwenodd Siriol yn falch ar flagur y cylchlys gwerthfawr.

✳ ✳ ✳

Dros yr wythnosau canlynol bu Siriol, Moli, Poli a Mali wrthi'n brysur yn gofalu am eu planhigion ifanc. Ymhen hir a hwyr, daeth smotiau bach o liw i'r golwg drwy'r blagur.

Daeth y tylwyth teg at ei gilydd ar ddiwedd yr wythnos yng Nghaffi Seren i drafod sut roedd pethau'n mynd.

'Bydd yr arddangosfa'n anhygoel,' meddai Moli, wrth fwynhau yfed ysgytlaeth mwyar duon.

'Bydd, os gwnaiff y blodau agor dros y dyddiau nesaf,' meddai Mali. Yn dawel fach, roedd hi'n teimlo'n bryderus.

'Mae fy fioledau'n edrych fel tasen nhw ar fin agor unrhyw eiliad!' cyhoeddodd Poli'n gyffrous. 'Rwy'n dyheu am gael cerdded o gwmpas y sioe flodau, gan wybod fy mod i wedi cyfrannu at rywbeth y bydd pawb yn ei edmygu.'

'Mae wyth o'r deuddeg blaguryn sydd gen i wedi agor yn barod!' meddai Moli'n falch.

'Mae hynny'n wych, Moli,' meddai Mali, gan ddechrau teimlo ychydig yn fwy sionc. 'A beth am y cylchlys, Siriol?'

'Dim byd,' ochneidiodd, 'ond mae Byrti wedi bod yn canu iddyn nhw bob bore, ac fe wnaethon ni hyd yn oed gysgu y tu allan gyda nhw neithiwr, er mwyn iddo fedru canu ei gân ar doriad gwawr.'

'Y clychlys yw canolbwynt yr holl arddangosfa. Mae'n rhaid iddyn nhw fod yn barod mewn pryd!'

'Rwy'n siŵr y byddan nhw,' meddai Siriol, gan geisio tawelu ei meddwl ei hun, yn ogystal â Mali.

* * *

Pan gyrhaeddodd Siriol a Byrti adref y prynhawn hwnnw, roedden nhw'n falch o weld bod y blodau cyntaf wedi agor yn llawn.

'Dere i weld, Byrti,' meddai Siriol
yn llawn cyffro, gan bwyso dros y
blodau i'w gweld yn iawn. 'Maen
nhw'n brydferth! Ac mae eu persawr
yn fwy hudolus a melys nag
y dychmygais i!'

Ond pan
hedfanodd Byrti
atynt i arogli eu
persawr cyfareddol,
dechreuodd disian
a thisian dros
bob man!

'Does bosib
fod gen ti annwyd,
Byrti,' meddai Siriol.
'Mae'n ganol haf!'

* * *

Fore trannoeth, dihunodd Siriol yn
gynnar iawn. Neidiodd allan o'r gwely,
ac agorodd ei llenni pinc pert yn llydan
agored.

'Byrti!' galwodd Siriol. 'Byrti, dere,
yn gyflym!' meddai eto.

Ond doedd Byrti ddim yn teimlo'n dda iawn.

Pan alwodd Siriol arno am y trydydd tro, heb gael unrhyw ateb, aeth i chwilio amdano.

'O, Byrti,' ochneidiodd Siriol wrth weld ei ffrind. Roedd yn dal yn ei wely, yn tisian yn wyllt. 'Druan ohonot ti!' meddai'n dyner, gan eistedd ar y gwely i fwytho'i blu.

'Ro'n i'n galw arnat ti i ddweud bod y blagur i gyd wedi agor! Jyst mewn pryd hefyd! Ond rwyt ti'n edrych yn llawer rhy sâl i ddod i lawr i'r ardd. Beth am i mi ddod â'r blodau atat ti?' meddai Siriol, gan wibio i ffwrdd.

Daeth yn ei hôl i'r ystafell cyn gynted ag y gallai, gyda'r planhigion cylchlys yn ei dwylo.

Dechreuodd Byrti disian eto.

'Dyna ni,' meddai Siriol, gan osod y blodau wrth ei ochr, 'dylai'r rhain wneud i ti deimlo'n well.' Ond doedd Byrti ddim yn teimlo'n well, ddim o bell ffordd.

Erbyn diwedd y prynhawn roedd
Byrti'n tisian yn ddi-baid, a'i lygaid yn
llawn dagrau!

✳ ✳ ✳

Yn nes ymlaen y prynhawn hwnnw,
galwodd Poli a Moli draw i gasglu'r
cylchlys ar gyfer y sioe y diwrnod
wedyn.

'Druan â Byrti,' meddai Poli wrth
Siriol, gan edrych arno'n gorwedd ar
y gwely.

'Mae'n edrych fel tasai'n mynd o
ddrwg i waeth,' meddai Siriol. 'Mae'n
ddrwg iawn gen i, ond dydw i ddim
yn credu y galla i ddod i'r sioe fory.'

'Ond mae'n rhaid iti ddod!' mynnodd
Poli. 'Dy flodau di fydd canolbwynt y
sioe, ac os enillwn ni ti fydd yn
haeddu'r clod!'

Meddyliodd Siriol am y peth. Roedd
hi'n gwybod y byddai Byrti'n iawn petai
hi'n mynd i'r sioe, ond fyddai e byth yn
ei gadael hi ar ei phen ei hun petai hi'n
teimlo'n sâl.

'Wel, rwy'n credu dy fod ti'n gwneud gormod o ffys ohono fe!' meddai Moli'n llym wrth Siriol, pan oedden nhw'n ddigon pell o glyw Byrti. 'Rwy'n credu y dylet ti ei godi o'r gwely, a mynd ag e allan am dipyn o awyr iach. Rwy'n siŵr y byddai gweld yr haul yn codi'i galon, ac fe allet tithau ddod i'r sioe.'

'Wyt ti'n meddwl?' gofynnodd Siriol, braidd yn betrusgar.

'Mae'n werth rhoi cynnig arni,' meddai Poli, gan godi'r cylchlys a chamu at y drws. 'Byddai'n ofnadwy petait ti'n methu dod fory.'

Doedd Siriol ddim eisiau colli'r sioe, na
siomi'i ffrindiau chwaith, felly cariodd
Byrti allan i'r ardd, a'i osod i orwedd ar
glustogau mawr pluog. Rhoddodd ei
hoff hadau blasus wrth ei ochr, a
thiwnio'r radio i Adar FM.

Ond ar ôl i Byrti fod ar y clustogau
am lai na phum munud, roedd ei disian
a'i ddagrau'n waeth nag erioed.

'Druan â Byrti,' meddyliodd Siriol,
gan geisio rhoi ei hun yn yr un sefyllfa.
'Efallai y byddai gweld rhywbeth
newydd yn codi tipyn ar ei galon.'

Aeth Siriol i nôl berfa, a gosododd
ei ffrind ynddi ar ben tomen o wair.
Yna, dechreuodd wthio Byrti o gwmpas
yr ardd, heibio'r rhosod, dros garped
o lygad-y-dydd a heibio'r gwyddfid.
Wrth iddi wibio'n gynt ac yn gynt,
credai Siriol fod Byrti'n cael amser
wrth ei fodd.

Ar ôl bod o gwmpas yr ardd ddwsinau
o weithiau, cwympodd Byrti a Siriol yn
swp ar y llawr. Roedd Siriol yn rowlio

chwerthin, ond sylweddolodd yn fuan iawn fod golwg wael ar Byrti.

* * *

Y bore wedyn, gwnaeth Siriol yr alwad ffôn roedd hi wedi'i gohirio'i gwneud y diwrnod cynt at Mali.

'Paid â phoeni, Siriol,' meddai Mali. 'Mae'n drueni, ar ôl dy holl waith caled, ond rwy'n deall yn iawn. Byddwn i'n gwneud yn union yr un peth petai un o 'mlodau i'n sâl. Fe wna i dynnu llwythi o luniau i ti.'

'Diolch,' meddai Siriol, gan deimlo ychydig yn well. 'Wnei di addo dod yma wedyn, i ddweud yr hanes wrtha i?'

'Rwy'n addo!' meddai Mali, gan roi'r ffôn i lawr.

Mewn gwirionedd, roedd Siriol yn teimlo'n ofnadwy o siomedig, ond ceisiodd beidio â dangos ei theimladau o flaen Byrti. Roedd hi'n benderfynol o gael diwrnod da, er ei bod yn teimlo'n drist o wybod ei bod yn colli'r sioe.

'Mae heddiw,' meddai Siriol wrth Byrti, 'yn mynd i fod yn ddiwrnod ardderchog!'

Treuliodd Siriol y rhan fwyaf o'r bore'n diddanu Byrti trwy adrodd storïau gwirion am adar, ac yn dweud jôcs adar gwirionach fyth.

'Beth mae brain yn ei gael i frecwast?' gofynnodd Siriol, gan biffian chwerthin.

Agorodd Byrti un llygad, a chodi'i ysgwyddau.

'Brân-fflêcs!'

Chwarddodd Byrti, cyn tisian dros bob man.

✳   ✳   ✳

Yn nes ymlaen y prynhawn hwnnw, fe gymerodd Siriol gymaint o amser i gyrraedd y drws i'w agor i Moli, Poli a Mali nes bod y tair wedi dechrau cerdded i ffwrdd.

'Beth ar wyneb Byd y Tylwyth Teg sy'n digwydd yma?' ebychodd Moli, gan edrych ar wisg anghyffredin Siriol.

Roedd Siriol yn chwerthin mor afreolus nes i'r pig cardfwrdd roedd hi'n ei wisgo ddisgyn i ffwrdd!

'Rydw i wedi bod yn diddanu Byrti,' meddai hi, gan gamu'n ôl er mwyn i'w ffrindiau fynd i mewn i'r tŷ. 'Dydw i ddim yn dynwared adar yn dda iawn ar hyn o bryd, ac mae angen mwy o ymarfer arna i.'

Troellodd Siriol o flaen ei ffrindiau, er mwyn dangos y wisg adar liwgar roedd hi newydd orffen ei gwnïo.

'Ac nid dyna'r cyfan!' meddai, gan afael yn llaw Poli ac arwain ei ffrindiau i'r gegin. 'Rydyn ni wedi bod yn coginio hefyd!' Edrychodd Moli, Poli a Mali ar blataid anferthol o fisgedi.

Dechreuodd bol Moli rwmblan wrth weld bwyd, ar ôl diwrnod hir yn y sioe. Cyn i Siriol gael cyfle i'w rhwystro, stwffiodd Moli fisged i'w cheg.

'Yyyyych-a-fi!' gwaeddodd Moli, gan boeri'r fisged allan.

Roedd yn anodd i Siriol beidio â chwerthin.

'Bisgedi brysia-wella i Byrti ydyn nhw!' gwenodd, gan eu dangos i'r lleill. 'Fe wnes i'r rhain heddiw . . . o hadau adar!'

Rhoddodd Moli ei llaw dros ei cheg. 'Do'n i ddim yn credu bod dy goginio di cynddrwg â hyn fel arfer!' meddai,

gan wneud ystumiau rhyfedd wrth i
flas chwerw'r bisgedi hadau droi yn
ei cheg.

'Dwyt ti ddim am wybod sut aeth
pethau heddiw?' gofynnodd Mali.

'Sut aeth beth?' gofynnodd Siriol yn
syn, gan fynd i eistedd wrth ochr Byrti.

'Y sioe flodau, y dwpsen!' meddai
Poli.

'O, brensiach, wrth gwrs!' ebychodd
Siriol. 'Ro'n i wedi anghofio'n llwyr am
y sioe, gan fod Byrti a fi wedi cael
cymaint o hwyl heddiw. Sut olwg oedd
ar y cylchlys? Wnaethon ni ennill?'

'Wnaethon ni
ddim ennill y brif
gystadleuaeth,'
meddai Poli'n
dawel, 'ond fe
enillon ni
yn ein
categori ni!'
Tynnodd Mali rosét fawr o'i bag, a'i
rhoi i Byrti.

Dechreuodd Byrti disian yn uwch nag erioed.

'Mae'n swnio fel tasai gen ti glefyd y gwair!' meddai Mali, gan fwytho plu Byrti'n dyner.

'Clefyd y gwair?' meddai Siriol.

'Ie, rwy'n dioddef ohono'n aml yn ystod misoedd yr haf, pan fydda i'n treulio llawer o amser yng nghanol fy mlodau,' meddai Mali, gan ymbalfalu yn ei bag.

'Feddyliais i ddim am hynny! Mae'n rhaid ei fod wedi dechrau pan ddes i â'r cylchlys adref – ac mae'n siŵr nad oedd mynd â fe allan i'r ardd yn help, chwaith!' meddai Siriol, gan deimlo'n ddigalon wrth feddwl ei bod wedi gwneud salwch Byrti'n waeth.

Tynnodd Mali rywbeth o'i bag. 'Paid â phoeni. Mae gen i hances arbennig fan hyn. Bydd yn help i gael gwared ar glefyd y gwair. Gall Byrti ei benthyg os hoffet ti – wedi'r cyfan, fydden ni ddim wedi ennill y gystadleuaeth heblaw amdano fe!'

Taclusodd Byrti ei blu'n falch, ac ar ôl chwythu'i big ar hances arbennig Mali, dechreuodd deimlo'n well o lawer.

'Efallai, yr haf nesaf, y dylen ni wneud mwy o bethau o dan do!' meddai Siriol, gan roi winc fach ar Byrti.

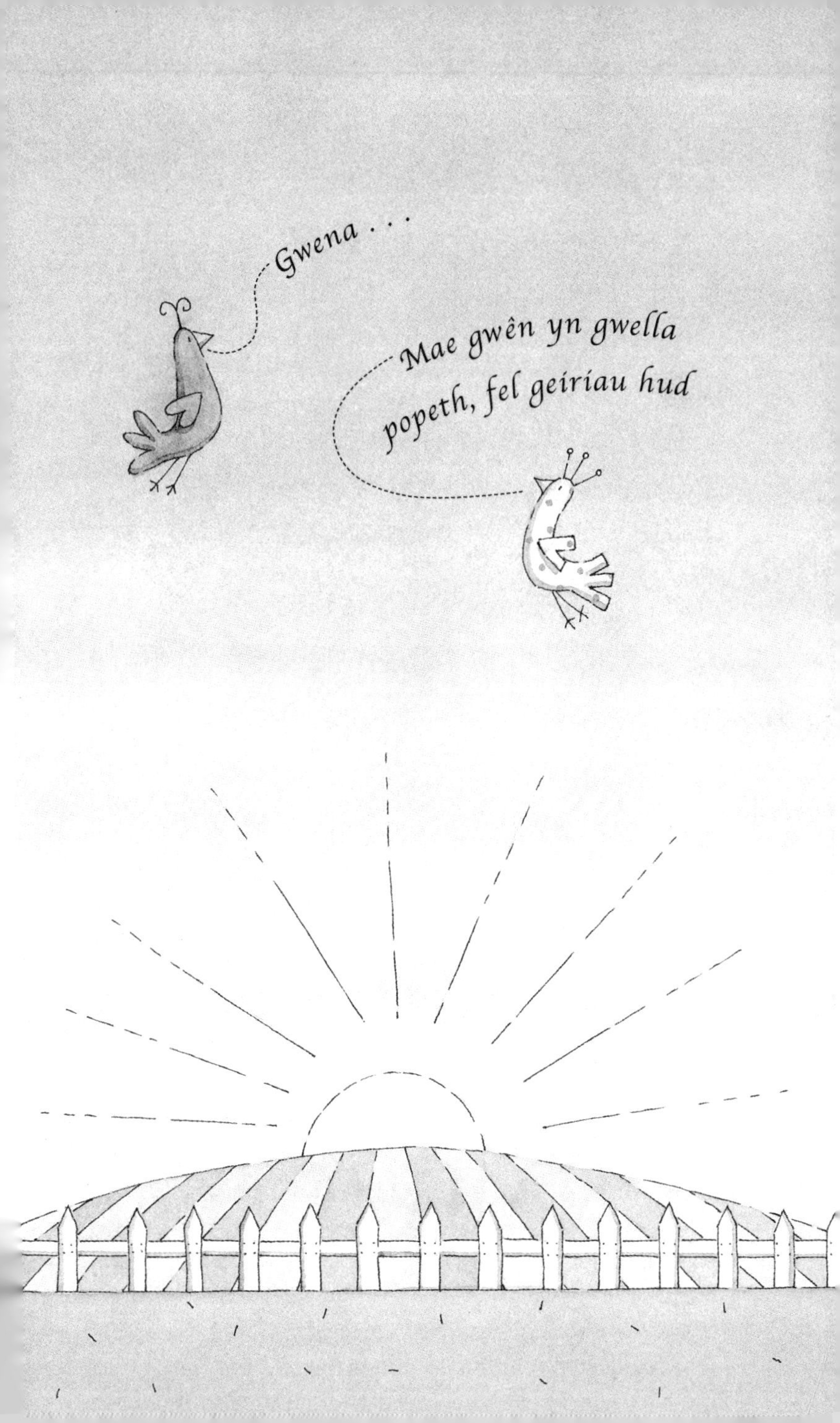
Gwena . . .
Mae gwên yn gwella popeth, fel geiriau hud

Emma Thomson
Siriol Swyn

Cyfrinachau Cyfareddol
a storïau eraill

Emma Thomson
Siriol Swyn

Dymuno Dawnsio
a storïau eraill

Emma Thomson
Siriol Swyn

Cwsg Cythryblus
a storïau eraill

Emma Thomson
Siriol Swyn

Ffrindiau am Byth
a storïau eraill

Emma Thomson
Siriol Swyn

Ffwdan Ffasiwn
a storïau eraill

Emma Thomson
Siriol Swyn

Gwyliau Gwych
a storïau eraill

Emma Thomson
Siriol Swyn

Hwyl Hud
a storïau eraill

Emma Thomson
Siriol Swyn

Penbleth mewn Parti
a storïau eraill

Emma Thomson
Siriol Swyn

Merlod Medrus
a storïau eraill